Jamais Jamais

A型

自分の説明書

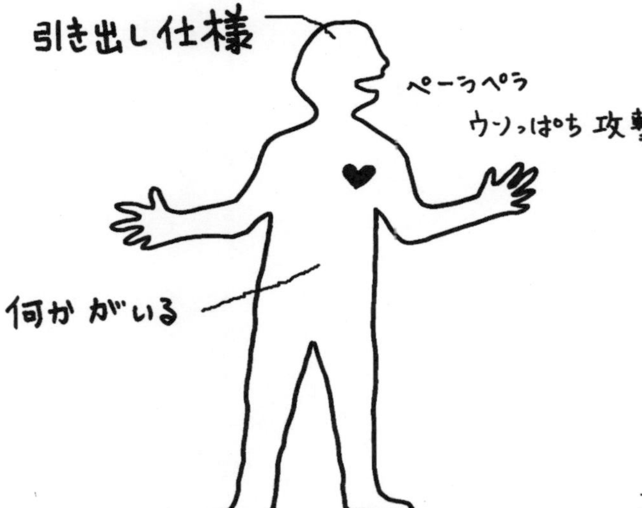

文芸社

はじめに

コンニチハ、もしくはハジメマシテ。
Jamais Jamais と申します。
以前、『Ｂ型自分の説明書』という本を書いたところ、
びっくりするくらいの反響がありました。
ほんとうにびっくり。
ありがとうございます。
中には「他の血液型の本も出してほしい」という要望もありました。
これまで血液型に興味を持って周囲の人たちを眺めてきた経験をもとに、
またＡ型のみなさまのご協力をもとに、
Ａ型の説明書を書かせていただくことになりました。

では早速、説明書を作りましょう。

目　次

A型自分の説明書

1　本書の使い方

これは、
自分を知りたいＡ型の、Ａ型の実態を知りたいＡ型以外のための、Ａ型説明書です。

「几帳面だね、Ａ型でしょ？」とか、「常識人だよね」など、
こんなふうにＡ型ってだけで面白味のないやつみたいに言われます。
初対面の人からも、すべてを見切られたような微妙な空気が流れます。
でもでもでも、でも……、
Ａ型だっていつもいつも几帳面ってわけじゃない。
ぶっ飛ぶときだってあるし、大爆発だってするんです。
ところが、
人一倍「空気を読む」Ａ型だから、言いたいことを飲み込みます。ゴクン。
おまけに自己表現の苦手なＡ型だから、熱く語るのが恥ずかしい。言おうか言うまいか迷っているうちに、話題は全然違う方へ。
世間一般に言われるＡ型像はきっと表の部分。じゃあ、裏は一体どーなってるの？
それは全く逆かもしれない。あるいは全く別モノかもしれない。

では１つ例を。

表「Ａ型はまじめ。なんでもきっちり」

いやいや、

裏「Ａ型はおもしろいこと大好きなんです」

なぜ、この矛盾が生まれるの？

それは、

自分でも分からないからです。

うまく表現する前に、自分の気持ちが整理整頓されていない。

レシピはあるのに、食べてくれる人のコトを考えると材料がそろわないから料理できない。

だからいつまでも、もやもやを抱えているわけなのです。

誤解されたままでいるのはもうたくさん。

「あなたはどういう人ですか？」

「私はこういう人間です」

を、うまく伝えるには、まず自分を知ることから始めましょう。

＜本書完成までの STEP ＞

1　ページをめくるその前に、「あくまでＡ型の傾向っぽい」と頭で唱える。
じゃないと「違うよこれ。当たってない」とムキになります。

2　外では２人以上で読むこと。誰かがいないと恥をかきます。
やれば分かる、その理由。

3　さて、まずはご一読。冷静さは捨てましょう。

4　当てはまる項目にチェックを入れる。説明書完成。

5　重要ポイントはマーカーでチェック。

6　さて、誰かとお近づきになりましょう。

7　「いよいよ自己紹介」に胸おどらせておく。

8　自分説明書を読んでもらう。また、予習・暗記して口頭で実践もよし。

9　相手と仲よしになる。ケンカもする。一段落。

10　応用して、今度は自分の言葉で説明書を作ってみる。

2　基本操作

自分／行動

「私は」「Ａ型は」「あの人は」

☐　色々あってもやっぱりＡ型が好き。

☑　でも自分はＡ型っぽくないと思っているＡ型。

☐　苦労性。

「キレイに並べたものを端からグシャグシャにされてゆく」
「分かりやすく説明したことを横からゴチャゴチャにされてゆく」

☑　几帳面。じゃないよ、ホントは。めんどくせと思っている。

☐　おっちょこちょいちょい。
それ見ろ。２回も書いた。

□　**財布の中がいつもキレイ。**

□　**カバンの中が整理整頓されている。**

□　薄っぺたいやつに、全部入ってるのが不思議。

□　ゴリ押しに弱い。別に義理なんかないのに。

☑　「全然ヘイキ」なフリがうまい。

☑　クセに、そのせいで悩むから全然ヘイキじゃない。
あぁぁ、何でヘイキなフリなんてしたんだぁ……。

☑　周囲の評価がとにかく気になる。

☑　嫌われてないか、恨まれてないか、すんごい気になる。

☑　ああ気になる気になる！

☑　**合いの手が名人芸。**

□　**ゴマすりと誤解されるのも名人芸。**

□　**違うよと言えない名人芸。**

☐ 静かに暮らしたい。

☑ ふらふらしてそうでも、与えられた場所ではけっこうやる。

☑ **よく人にぶつかる。**

☐ 黙々と取り組む。

☐ 着々と手を打つ。

☐ 引っ越したくない。ココに居たい。動かないもん！

☑ ドジ。

☐ 「変革が必要だ」とか言いながら、実際に変革が始まると抵抗する。
イヤだぁ。このままでいいよぉ。

□　価値観を否定されると意地っぱる。

□　堅苦しいっちゃ堅苦しい。でもそれが常識人。カッチコチ。

☑　**右と言われれば右。**
左と言われれば左。
上と言われれば、「上とか無いし」と思う。

□　参謀タイプ。いわゆる女房役。
3歩下がってついてゆきます。もれなく良妻が。

□　縁の下の力持ち。どっこいしょおおお。

☑　家ではウジウジ、ウジ虫だ。

☑　でも「あぁぁーめんどくせ」ってなる。

□　なるのにまだ考えてる。

☑ 常に360度、気を配るレーダーがついている。

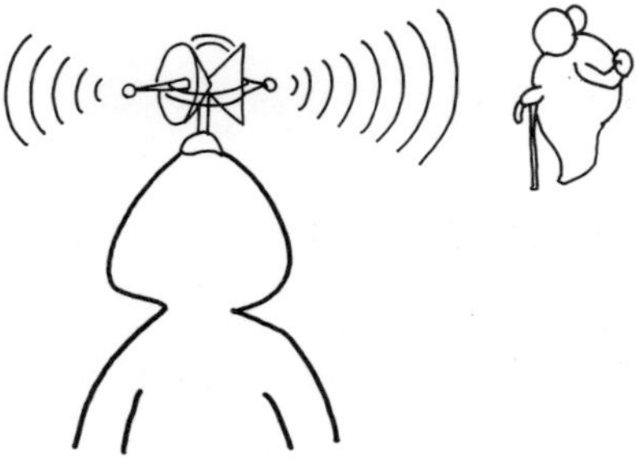

☑ 弱点を暴かせない。

☐ 外面がいい。そのぶん、家では暴君。

☐ みんながふざけてても自分はしない。
やるとしたら警戒しながら。怒られる前にサッとやめる。

☐ ホントは誰かに愚痴をこぼしたい。

☐ できればわがままを言ってみたい。

☐ 信じ込んだら疑わない。

☐ それをねじ曲げようとするやつはペンする。
こうだ！　ペンペンっ。

- [ ] 本来は一匹狼かもしれない。
- [ ] という幻想。
- [ ] 「頼りになるよ自分」の計算をしている。
- [ ] あ、でもちょっとだよ。ほんのちょびっと。
- [x] 失敗を指摘されるのがイヤだ。
- [x] だから完璧を期する。ゼンゼンだけど。
- [x] 他人にすきを見せたくない。バレバレだけど。
- [ ] 年を重ねるごとに性格が変わる。
- [ ] ゆらゆらしてたのがハッキリするかんじ。
- [x] 洗練されたコミュニケーション。
- [ ] 決断するまでが各駅。
- [ ] 決断してからは急行。

□ 確信しないと実行しない。

□ きれいに並べたい。

□ それを乱され眉間にシワ。

□ 黙って並べなおしてるうちに、快感が怒りをしずめてくれる♪

□ 意志が強い。
グラついてるけど、なっかなか倒れない。みたいな。

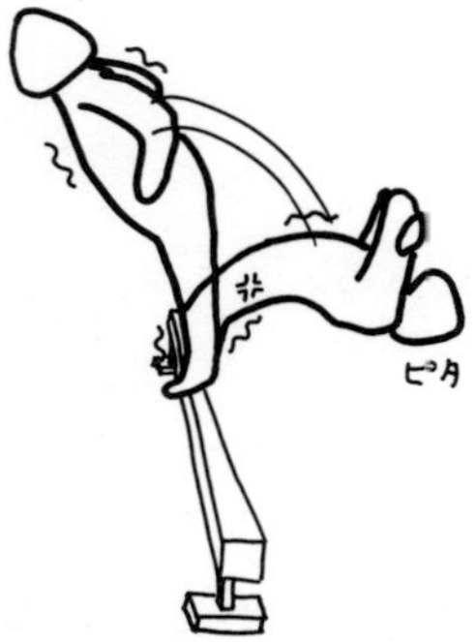

□ 知ったかぶる。

□ のは植え込んだ知識を素直に使うから。

□ 自覚はない。けど恥をかく、知らないところで。

□ 事なかれ主義。

□ **ばか丁寧。**

□ 「急がば回れ」にイライラしない。

□ 自分の意思で生活パターンを変えることができる。

□ 自分を高めたい。もっともっとスゴくなぁれ。

□ 自分に投資したい。もっともっと良くなぁれ。自分。

□ 約束は守るためにある。

□ 時間も守るためにある。

□ 信用第一。いらっしゃいませー。

□ 守らなかったと言われるのは、「約束」と認識してないから。自分の中で。
そんなもの約束と認めん！

□ 「走れメロス」みたいに、使命を果たしたい。

□　それた方向にまっしぐら。

□　あとで気づく曲がってたこと。
あれ!?　どっから間違ったっ？
そして今さら戻れない。から痛い方向に突き進む。ズンズン。

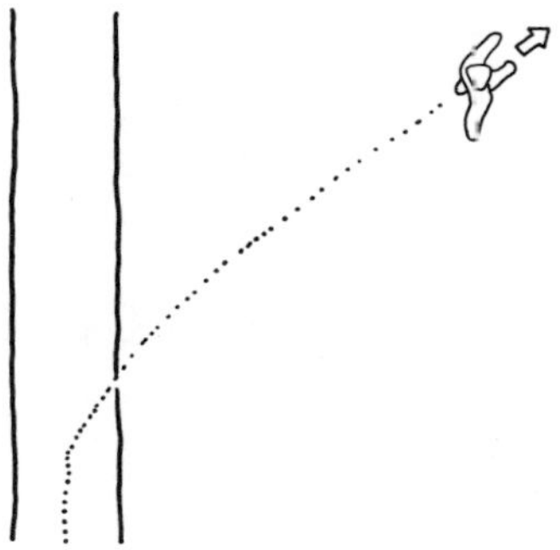

□　**「自分へのごほうび」をよく買う。ほくほくしちゃう。**
やったー。買ったぞ。やったー。

□　細かいことをけっこう気にする。
「後輩のそろえない靴（小言を言いたい）」
「シャンプーの先のチョロ（またついてるヨ）」
「順番が違う書類（１３２４……。逆だねここ）」

□　でも「気にしてません」風。小さいと思われるから。

□　自分は大器晩成だと思う。

□　疑り深い。
「大丈夫だよ！」
「そっか★（とか言いつつ、どこが？　とか思ってる）」

□　**いきあたりばったらない。**

□　**出たとこ勝負らない。**

□　**予定にない行動はなるべくとらない。**

□　できないことに手を出さない。

□　やるときはとことん。中途半端がイヤだ。

□　「ねばならない」ってよく言う。

□　いやー、英作文では「Have to」ばっかり使ってたよ。

□　とかゆー冗談を人にも言ってみたい。

□　**淡々と毒を飛ばす。ピュッ、ピュッ。**
笑いながら吐く。あははつまんないねぇ？

□ 慣例とか伝統に従う。

□ 年中行事とかまったく抵抗しない。イヤだぁとか言わない。
「お正月には初詣」
「お盆にはご先祖様のお墓参り」

□ 安定を求める。

□ 変化が大嫌い。

□ 通勤・通学路は変えない。
「今日はこっちから行こうかな」とかナイ。

□ 常識に従って行動する。それが大人のマナーだよね？

□ 誰からも「常識人」と言われる。いつもそうでいたい。

□ **我がままなんて言わない。他《た》がままだ。**

□ し、言いたくても言えませン。

□ 何でも人に合わせようとする。

□ 自分がガマンすればいいことだから。

□ そうして言われる「人当たりがいい」と。

□ でもほんとは要求したい。

□ でも強く要求できない。

□ のは、相手を傷つけたくないから。

□ の裏に、「嫌われたくないよー」ってゆー心が見え隠れしてる。チラチラ。

□ なんかいつも遠慮してる。

□ **ぶつかる前にサクっと引く。衝突なんて怖い。**

□ 「それで丸く収まるのなら……」と自分に言い聞かせる。

□ まじめ。

□ だからこそ枠を飛び越えたい。

□ でもできない。

□ クセに、１度飛び越えたら飛びっぱなし━。
２度と帰ってこない。

□ いつも、どこかを漂っている。プカ〜っと。

□ どっこい、芯は強すぎ。見よ！

□ 自分ルールがある。「こうせねば！」っていう。

□ **自分の話に自分でウケる。**
オチを言う前に吹き出す。
「……でその壁がねブフ、前にアハハハ」

□ 大人だったら妥協です。大人だったらガマンの子。

□ だって社会ってそういうもんだから。

□ みんながちょっとずつ我慢すればうまくいくのになー。

□ 感謝されれば有頂天になる。高っけ〜。見えね〜。

□ **失敗するとドン底。**
ごはん？　今いらない……。

□ 精神的ショックから、なっかなか立ち直らない。

□ それと一緒に能率もガタ落ち。
ガターン↓ガンッガン。ゴロゴロゴロゴロ……。

□ ヘアスタイルを変えない。
今日も7対3っと。よし！

- □ 責任感は最強。
- □ 引き受けた以上は最後まで。
- □ プレッシャー攻撃に耐えながら全力で闘う。
- □ 極限の闘いに強い。
- □ コツコツやってますから。
- □ どう見ても無理なことは最初から引き受けない。無理だから。
- □ 「〜っぱなし」しない。
- □ **独創的なことはしない。反対されたらショックがデカいから。**
- □ の前に独創できない。

☐ プライドが高い。

☐ でも、お高く留まってるんじゃない。曲げたくないものがある。

☐ し、曲げない。

☐ **おだてに弱い。**

☐ 「これをやれるのはあなただけ」
とか言われるとまんざらでもない。

☐ 「いえいえ、私みたいな未熟者は」
とか言いながらムフフってなってる。

☐ 「やっぱり自分いないとだめだ」
天まで思い上がる。

☐ **めんどくさい習慣もちまちまできる。**
「ねじ巻き時計のねじを巻く」
「お風呂の前にアクセサリーをはずす」
「コンタクトレンズのあれこれ」
「ボタンが異常に多い服」

□　柳に風。ゆ〜らゆ〜らり〜。ええ、風におまかせデスヨ。

□　でもガンコ。

□　自分の主義？　曲げません。曲げたフリするだけー。

□　頭が固い。

□　だから「頭固いね」って言われる。

□　↑やろうと思ってたら「宿題やんなさい！」って言われて
今やろーと思ってたのにー。何で言っちゃうのー。
あぁぁぁー。もうやんないっ！
みたいな心境になる。

□　人とつながっていたい。

□　淋しん坊。

□ いつも腹の底に何かを隠している。

□ 困ったら、進まない。迷ったら、戻らない。
そう、立ち止まる。そこからちょっとずつ進めるかんじ。

□ 平々凡々でいい。（野心を夢見るだけでいい）

□ 自分だけの世界を持っている。

□ 派手なことが嫌い。

□ **たまに現実逃避する。でもすぐ帰ってくる。**
行って来まー……ただいま。

□ **攻めより守り。**
土足で踏み込んでくるやつが大キライ。

□ 本音を吐かない。

□ 流行にすぐ飛びつかない。興味はあるのに。

□ 自分だけ最先端だと恥ずかしいから。

□ **流行が主流になると手を出す。**
たくさん見かけた翌日に買いました。みたく。

□ 執念深い。ずっと忘れない。
忘れてないよ。あのこと。20年前だったよね。

□ 弁当のゴハンは、端っこから食べる。

□ ゴハンのペースは人に合わせる。

□ **コンビニ弁当を食べ終わると、包装を元通りにする。**
捨てるのに。

□ 子どもが食べてる姿って、なんかイイ。

□ って言う。

□ 悪法も法だから従う。決まってんならしょーがないよなっ。

□ 自分だって好き放題したいよ願望。

□ 「自由気まま」にあこがれる。
それどこ行けば売ってマスカ？

□ でもホントは一番自由気ままかもしれない。ある意味で。

□ 「応対にソツがない」って言われる。

□ 誰かにススメられたものにハマる。

□ それを誰かにまわす。
これイイよー。受け売りだけど。

□ いつも発信源は自分じゃない。

□ 一般的な礼儀は心得ている。つもり。

□ 目立ちたくない。

□ **常に規範でありたい。**
究極のお手本てこと。究極です。はみ出し厳禁。

□ でも、コケる。

□ 年のわりにジジババくさい。あ〜、若い人らにまかせますよ。

□ でも、ぶっ飛んだらもう誰にも止められない。止まらない。

□ がむしゃらより安定性。ここらへんでいいやー。

□ 自分のことに関しては、説得がどヘタクソ。
だって考えるのめんどーだし。

□ 人に心配される。１人でやってけるのか。

□ 子供のおつかいじゃないからヘイキです。
１人でも割と大丈夫。何とかなってる。

□ のせられやすい。
あ、なんかその気になってきた。ような気がする。

□ **要領が悪い。**

□ **んじゃない。そー見えるだけ。順番通りにやってくとそーなるのです。**
決して要領悪いわけでは。あれ？

□ 自分のことは自分で考えたくない。だから誰か考えてよねー。

□ 大丈夫、人のコトはイヤでも考えるから。

□　逃げ腰。

□　**争うより放置プレイ。**

□　自分を隠しすぎて、ものすごい凹む。ベコリ。

□　自分から謝りたくない。

□　自分が悪くても素直に謝れない。

□　悪いことしたなぁ。でも向こうも悪いし。

□　そんな自分がイヤでいつまでも引きずるズルズルズル〜。

□　意外と短気だったりする。
態度に出ないだけでけっこうプンプンする。

□　律儀に電話出ない。

□　ちょっとでもムリだったら、「聞こえなく」なる。する。
聞こえないよ。全然。

□　話の長い相手も「気づかない」フリ。

□　メールも「まだ見てない」という設定。
シカトじゃないよ。知らなかっただけなんだ。
見るのは3時間後だから、今は知らないはずなんだ。

□　の真相は、後回ししてるだけ。
で、「日が経ちすぎたからお流れ」になる。

□　**簡単に心を開かない。**
ガチャリ……バタンっ！

□　具合が悪くても元気なフリする。

□　だってまわりに迷惑と思われたくない。

□　でもほんとは心配してほしい。

□　まだ大丈夫。大丈夫。で、病気悪化。

□　「なぜこうなる前に来ないのか」とお医者さんに叱られる。
ゴメンナサイ。

□　けっこう傷つきやすい。

□　ガラスの心。
「なんかダサいよ」。ピシピシピシ、パリンガシャーン。

□　**ほめられて伸びるタイプ。**

□　だって怒られたら縮むもん。そうだもん。

□　苦より楽。

□　決断して進むより、流れのままに。

□　すぐ決めない。
延ばして延ばして、その時がきても決まらない。

□　節目、節目を大切にする。

□　変な歌とか踊りとかを覚える。

□　**地味に変なものがキライそうで大好き。**
「変なＴＶ番組」
「変な待ち受け画面」
「変なセリフ」
「変なキャラクター」

□　未だにやりたいことが分からない。

3　外部接続

□　**団体行動は苦じゃない。**

□　群れます。ワラワラワラ。
ゴハンぞろぞろ。トイレぞろぞろ。移動ぞろぞろぞろぞろ。

□　でもやっぱウザったい。↑このぞろぞろが。

□　だから1人になるとホッとする。

□　よく親切をあだで返される。

□　人に迷惑をかけない。(どっかの家訓みたい)

□ よく同情する。

□ から救いの手をさしのべる。

□ 手伝い始めると無我夢中。

□ 相手の笑顔で幸せになる。
「ありがとう」って素敵な言葉♪

□ **ポテトを2本以上のたばで食べられるとむかつく。1本ずつ食べろよと思う。**

□ 本を手渡すとき表紙の方向を気にする。

□ 刃物を手渡すとき柄の部分を相手に向ける。じゃないと「落ち着こう。そんなモノ置いてさ。話し合おうよ。ね？」ってなるから。

□ で、自分が無造作に渡されるとムッとする。

□ のに注意しない。

□ その人に対する見方が変わるだけ。
ほら、今軽蔑したよ。いいの？　ほんとにいいの？

□ 連れが恥ずかしいコトすると他人のふりをする。条件反射で。

□ 知らない人と世間話する。全然知らないのに。

□ でも自分からは声かけない。

□ 向こうがしゃべってくると会話がスタート。
病院の待合室とかで。

□ あたりさわりのない話題を選ぶ。
天候とか三面記事ネタ。

□ 内心では、「そんな話題つまんねー」と思っている。

□ そしてなぜこの人をおもてなししているのか、ふと我に返る。

□ なのに話が途切れると、必死で次の話題さがしちゃう。

□ 解放されるとホッとする。疲れたー。

□ で、あの人いったい誰？

□　誰かと誰かのケンカの狭間をウロウロする。

□　で、オロオロする。

□　で、どっちからも当たられる。悪いコトしてないのに。
けっこう「可哀相」。

□　弁当を広げている人を見ると、お茶入れてあげたい。

□　恩返しをする。

□　**道でコケた時とかキョロキョロする。まわりの目が気になるから。**

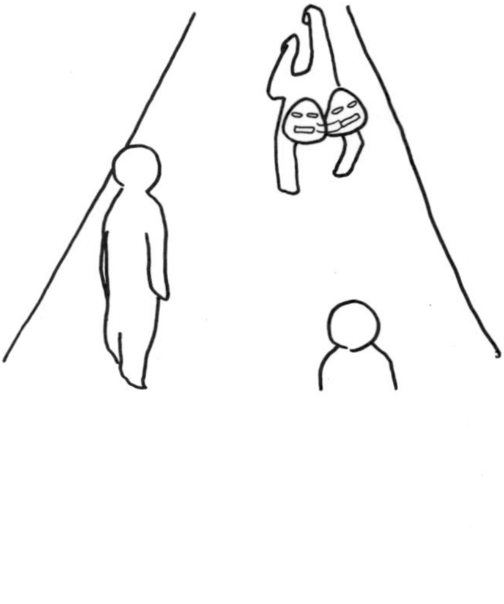

□ 初対面の人を警戒する。
何？　この人。何？　誰？

□ でも態度はソフト。にーっこり。

□ 打ちとけたフリをする。

□ そうやって相手の出方を見る。

□ じ――――っくり時間かけて観察する。

□ あ、ほらねボロ出た。あー信用しなくてよかったっ。

□ その後も信用したフリを続ける。

□ **けっこう人が悪い。たぬき。**

□ 初対面の人に冗談が言えない。

□ 言ってもすべる。恐い間。

□ それみろ、いっきに恥ずかしい人だよ。

□ ニュースばりの固い冗談になる。
冗談言う。一同笑う。「はっはっはっは」「えーでは次に……」みたいな。

□ 良識や教養が邪魔するんだ。とか言ってみる。

□ **ちょっと気を遣ってもらうと、100%信頼。**

□ **見せかけの優しさにダマされた。畜生。**

□ 根掘り葉掘り聞かれると、話そうとしてだんだん嫌になってくる。オチないし。

□ でも人のことは知りたい。

□ つまんない話でも自分だけ知らないのはヤだ。

□ 昔の変なニックネームは絶対に知られたくない。

□ よく愚痴を聞かされる。

□ 癒し所にされる。親身になって聞いちゃうから。

□ そして一緒に号泣。

□ ２人になったとたん相手が黙り込むと不安。（それで目が泳ぐ）さっきまであんなに騒いでたのに。

□ 嫌われてる？　何か悪いことした？　え？　何なに？でパニック。

□ あわてて話しかけるけど反応がいまいち。
つまんないやつだと思ってんだろーなー。
って勝手に怒り出す。

□ でもやっぱ気を遣っちゃう。

□ のは嫌われたくないから。

☐ **何かの会で、全員のグラスに目を配る。**
スイマセーン。お代わり４つ。

☐ 話の輪から外れてる人に話題を振る。

☐ **結果、ラストまでそいつのおもり。**
あー、あっちの人と話したい。

☐ 代金をすばやく頭割りして集金。

☐ はいいけど、端数は自分が負担。ガーン。金欠。

☐ 「いい宴会だった」と言ってほしい。

☐ デリカシーのない人とはつきあえまセン。

☐ つきあうふりして心を閉ざす。バタンっ。

☐ 「いずれは誰かがやんなくちゃならないコト」が回って来る。
何かみんな忘れてるから。

□　自分にない才能のある人がホントはすごくうらやましい。

□　いや、違う。妬ましい。から意地悪になる。

□　何事もスムーズにいきたい。

□　障害が出てくると心底イライラ。

□　自分も邪魔しないからそっちもしないでね。

□　てか邪魔すんな！　めっでしょ！

□　でも顔に出さない。

□　感情むき出しは恥ずかしくなっちゃう。

□　話し合いの内容を聞いていると、そんなこと？　大の大人が？
てゆー言い争いをしている。って感じる。

□　「小さいよー、それ今必要？」と言う代わりに、さりげなく時計チェックする。チラリ。

□　誰も気づかなくて「すごく恥ずかしい人」になる。

□　**主張しないからナメられる。**

□　**だから覚えてゆく。うまいあしらい方を。ポイっと。**

「へぇ、そうなんだぁ。なるほど、スゴいね！」。はい次――。

□　でもたまには実力を見せつけてスカッとする。

□　人に気前よくおごる。

□　人前でケチケチしたくない。

□　見栄王。

□　でも認めたくないよ。ちがうよ。と言い張る。

□　信用しなくて助かったことがある。

□ よくトラブルの相談を受ける。

□ 親身になって聞く。どっかの窓口みたいに。

□ 一緒に激怒。

□ でもちゃんと相手側の言い分もね。判断は公平に。

□ のように見せかけて相談者寄りの判断。

□ 一番ショッキングなのは、「自分の知らないところで物事が進行していた」という事態。

□ 仲良しのトモダチが何も告げず、別の人と旅行、とか。
それ、知らないよ……。

□ トモダチでも焼きもちを焼く。

□ でも言わない。「へぇ、そうなんだ。楽しかった？」とか言う。

□　いったん信用すれば付き合いが長い。

□　でも壁は作る。ここから先は１歩も通さんっ。

□　結局、心を開いてない。

□　でも親友の前なら素の自分を出せる。から楽ー♪

□　**座敷では下座。目上の人がいなくても。**

□　でも気にしてるのは自分だけ。

□　みんな気にせず、まんまと上座。

□　天然ですか？　わざとですか？　どっちですか？　って聞きたい。

□　で、「どっちもダメだろ」と思う。

□　今日のことは覚えておこう。こいつらはダメ、と。

□　目上の人にタメ口をきく人がいると、冷や汗出そう。
（言っちゃった、言っちゃったよこの人）

□　そんで、自分の周りの空気だけ一瞬凍る。

□　心を閉ざした人がいると、開いてあげたい。パカっ。

□　心を開かせるすべは知っている。同類だから。

□　そういうコツは人に明かさない。

□　親しき中にも礼儀あり。と親しい人に言う。
心の中で。

□　上下関係を大切にする。
下ならずっと下。上ならずっと上。

□　ルーズな人が憎い。キャッチフレーズは「乱すな調和」。

□　所かまわず騒ぐヤツにムカっ腹が立つ。

□　１度は口にしたことのあるセリフ。
「はいはい、ケンカしなーい」
「あの人は誤解されやすいけど、ちゃんとやってるよ」
「陰ではあなたのことを評価してる。こないだもそうだったし」
「あの場面ではしょうがないよ」
「真意を汲み取ってあげないと」

□　ああ、みんな世話が焼けるな。とか思う。

□ 自分で立てた計画によく分からない自信がある。

□ ケチつける人がいると、「そのクチ閉じてしまえ」と思う。

□ 誰かの指摘で修正したくない！　とプライドが言っている。自分じゃないよ、プライドが。

□ だから固執する。意地になってるなんて百も承知。分かってるけど固執しちゃう。

□ **石頭なんだ。絶対割れない。**

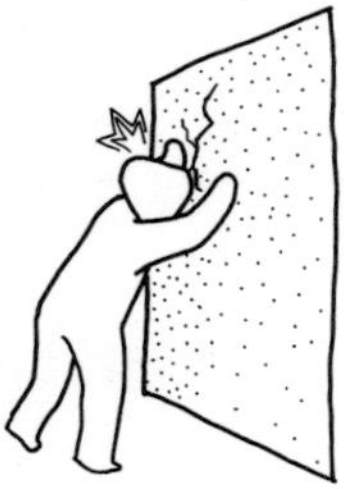

□ のに、「でも明らかに変だよ」って言われると、やって来る不安。グラグラ。

□ でも変えない。

□ どこが変かも分からない。確認しても見当たらない。
「もー、どこが変だって？　完ペキじゃん。うん」

□　遠慮する相手にうまく勧める。

□　ちゃらんぽらんは不愉快だ。
辞書にも載ってる「ちゃらんぽらん」。

□　↑とか言われても調べない。また今度。

□　その「今度」は永遠にこない。

□　**新しい人間関係にすぐ順応。**

□　**したフリ。**

□　誰かの失敗を尻ぬぐう。役。

□　頼られて悪い気はしない。力になりまっせい。

□　とか言ってるけど、ホントはウレシー。すんごく。

□　でも自分の尻ぬぐいさせるのはすごくホントに忍びない。

□　人より先に意見を言いたくない。

□　だって反対されるとショックだから。ガーン。

□　みんなで決めていい。

□　ていうか決めてください。お願いしマス。

□　決まったらそれに従うから。

□　いや、ほんと希望とかないんで。決めちゃっていいんで。
後で文句言わないんで。

□　なのに、言っちゃうヤツがいる。許さん。

□　「……で決定！！」「え、でも……（なんたら～）」
でも……、っじゃねぇ！　終わったよ。今決まったよ。

□　そういうヤツを成敗。正論を突きつける。

□ 人のためなら大胆になれる。

□ たとえば反対派に熱〜く語り、説得するのも平気。

□ いつも損ばかりしてはいないか？

□ 嫉妬深いヤツがめんどくさい。
その嫉妬を努力に向けてクダサイ。

□ 言ったことはコロコロ変えちゃダメ。

□ 「応用が利かないね」と言われる。

□ で、ムッてする。
言葉にオブラートはどしたぁ。ぐるっぐるに包め何重もっ。

□ ずるや卑怯な真似はヤダ。

□ 「今、自分だけ楽しようとしたっしょ？」的なヤツを、コノヤロ！　てんめぇぇ、と思う。

□ 「いいなぁ」と言われたら惜しげも無く人にあげる。限度はあるけど。

□ モノより嬉しいと思ってくれる方に価値がある。

□ 全面的に依存されるとめんどクサイ。

□ ひねくれた人に意地悪しない。

□ 強引はヤだけど、引っぱってくれる人がいい。
導いてください。決めてください。道を示してください。
さぁ。

□ できれば相手に気づかれないように助けたい。

□ それを第三者に目撃される。という願望。

□ 人の心の動きに敏感。察知する。

□ 怒らせたと思ったらもう萎縮。ガタガタ。もう言いませんから。

□ チームなら一丸となるのです。

□ だから束縛は当たり前なのデス。

□ じゃないと組んでる意味がナイのデス。

□ でもホントは、はみ出たいんデス。びろびろっと。
でもしない。めんどくさいし。

□ **大切にしてるものをベタベタさわんな！**
指紋！　指紋がぁぁぁぁぁ。

□ でも自分はけっこう人の物さわる。
「これ何？」とか言って。
その時は気づかない。

□ だいたい聞き役。

□ 聞くスキルがたまらない。へえ、そんなことがっ！　まさか！

□ でもよく知る人が相手だと聞かない。

□ し、流す。へ〜、ふ〜ん。

□ 人と歩くときに並び方とか気遣う。

□ **遠回し遠回し、回しすぎて真意が伝わってない。**

□ バカキャラがちょっとうらやましい。

□　スゴすぎるサービス精神。

□　人をいい気持ちにしてあげたい。

□　それが使命！

□　満足してくれるとウレシくってたまらない！　ヒャッホー。ルルー。

□　みんながやることは自分もやる。

□　付和雷同とは違う。協調性だ。（テストに出るよ！）

□　気づくと潤滑油になってる。

□　ギクシャクやピリピリした時にはコレ！　潤滑油！今ならお得。２コで980円。（安いのか高いのか微妙）

- □ 誠意には誠意でお返し。
- □ 世話になった人を大切にする。
- □ 感謝のことばを口にし、「恩を忘れてないよ」アピール。ちゃっかり。
- □ 使えるアドバイスや提案をする。
- □ だいたいスルーされる。てゆかもう答え決まってるデショ？
- □ だめなら慰め役に全力投球。
とにかく笑わせようとする。
そのためにバカをやる。
- □ **本当の自分を誰も知らない。**
（なんかカッコイイ）
- □ けど自分も知らない。
- □ 考えると頭がもにょもにょするから、めんどくさい。
- □ で、「やーめた」ってなる。

□　「やっぱりＡ型だね」って言われたら、殴りたい。
それがどしたぁ？　バカにしたっしょ？　今。ねぇ。

□　でも笑って聞き流す。アハハ〜、そだよ★

□　Ａ型の気持ちが手に取るように分かる。

□　Ｏ型の人は憎めない。

□　Ｂ型って、合う人は合うけど、合わない人はおもっくそ合わない。
キライではないんだ。好きじゃないだけで。

□　ＡＢ型といると落ち着く。

□　Ａ型をバカにされたら、「日本人の40％がＡ型だ」と心の中で言い返す。数なら負けん。

4　色々な設定　傾向／趣味／特技

□　物事が整然と進んでいくのが好き。ベルトコンベアです。

□　計画を立てるのが好き。

□　計画に従って行動するのも好き。

□　計画という言葉からして好き。

□　**石橋を叩きすぎて割る。**

□　そういうときは自分で慰める。
ほおら、渡らなくてよかった。

□　と同時に後悔する。ずうーっと。
渡ってたら今ごろは……。

□　座右の銘がある。

□　映画館のひじ掛けは、だいたい片っぽ。
誰なんだ、両方使ってるヤツ！

□　規則正しい生活。

□　起きる、寝る時間はほぼ決まっている。

□　そして12時になったからお昼。

□　忙しいときはお昼を抜いても平気。

□　でもその事実が頭にずっといる。

□　食い意地が張っているわけじゃなく、リズムを乱されたことが気になる。
あぁ、乱れた。あぁぁぁぁ。あの時間はゴハンでしょうがあぁぁ。

□　そうまでして働いた自分はえらい。よしっ自分！　いい子だよ。

□ 平和をこよなく愛す。

□ 乱れをもっとも憎む。

□ と思いきや、焦がれたりする。やってみたい、でも……。

□ **バランス重視。**
ガムを右で10回かんだら、左も10回じゃないと気持ち悪い。

□ 未来よりも「過去」にこだわる。

□ 「ルールは破るためにある」って、何言った今！
なんだその一瞬ダマされそうな理屈。守るからルールでしょうがっ。

□ だから、ルールは守るためにある。

□ なんて、ホントは無いと逆に困る。わけ分かんなくなる。
どーすればいいの？　何でもアリ？　何が駄目デスカ？
ギブミーザルール。

□ どう見ても無理なことは最初から引き受けない。無理だから。

□ お札の方向をそろえたい。

□ 端が折れていたりするとスゴく気になる。

□ **前例が気になる。**

□ 前任者のやり方はそのままがいいのです。

□ 「まさか！」と言われることをたまにやらかす。

□ そんな自分が怖くなる。
誰？　誰ですか!?　見えない何かに操られたよ！

□ やるべきことが複数ある時、アレとコレは一緒に片付けようとかナイ。
リストの上から順に1個ずつ。そして確実に。

□ ミーハーではない。決して。

□ でも人のことミーハーだと思う。

□ 外では三角食べする。

□　お世辞と分かっていても底力を出す。
っしゃー!!　やってやる！

□　ほめ言葉にも弱い。
「見事だ」「さすがだ」……うんうん、もっと言ってくれ。

□　**モノを捨てられない。いつか使う。**
箱とか袋とか何年も前のがごっそり。

□　気づけばコレクション完成。

□　お店の人に、「オススメは？」とか「どれが売れてますか？」とか聞く。

□　で、答え通りのものを買う。

□　ジグソーパズルにハマったことがある。

□　額に入れて飾った。

□　１万ピースとか聞くと胸躍る♪

□　納得いくところまでやったら飽きた。

□　ＲＰＧで能力値を高めるのにハマる。

□　でも徹夜はしない。

□　オンラインゲームでは教え好きだ。

□　育成ゲームをやったことがある。

□　目の前に砂漠。後ろにはオアシス。
迷わず飛び込むオアシス！　ヒャッホーイ。（そして後悔する）

□　何ならどこがいい、ってゆーお店を知ってる。

□　そしてそれを人に教えてあげる。

□ **折り紙を二つ折りした後ろのチラっ、が見えてはいけない。**
じゃないとこの先、たいへんなことになる。

□ 笑いのセンスには自信がある。

□ 伸びる芸人をいち早く発見する。

□ でも身内にしか言わない。外れたら恥かくから。

□ だから「自分は知ってましたよ」の証拠を残す。
「日記にさりげなく」
「手帳に走り書き」

□ 書いたところで使わない。
「書いてあるんだよ」って言うだけ。真実味なし。

□ その芸人が予想通りブレイクする。ほらきた！
誰よりも先に発見してヨッシャ！　ってなる。

□ 同時に、やっぱり言っておくべきだったと後悔する。
何書いてんだ！　言えよ自分。あぁぁぁ。

□　好きなコトに関してはうるさい。

□　プロ級じゃないけど、そこそこのレベル。
　　いったん始めたらその道に精進。

□　寝るのも忘れる。

□　食べるのも忘れる。

□　人からの電話は聞こえない。フリ。
　　フンフーン、今なんか鳴った？

□　ここまでしても、あるレベルに達すると急に興味なくなる。

□　しばらく勢いで続けるけど楽しくない。から卒業。

□　道を究めたんだから挫折じゃない。じゃないよ。

□　**その気になればうんちく王。**

□ **「あるべきところ」に「あるべきもの」をしまっている。**

□ だから出すよ。スグねっ！

□ いつも時間に追っかけられる。

□ のがうれしい。

□ **奇抜な色は選ばない。**
蛍光の靴下？　ナイナイ。

□ **1から10まで全部決まっていないと不安。**
5と8が空欄なんて怖い。

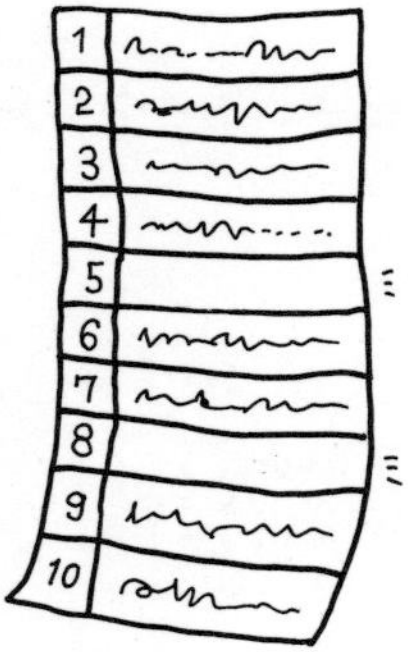

□ だから旅行に行く前に全部決める。
交通手段。ゴハンはここ。宿の予約。

- □ 遅刻厳禁。自分も相手も。

- □ でも仲いい人が相手だと遅刻する。怒られる。平謝る。

- □ 成功パターンが分かれば、新しいのは要らない。

- □ 興味ないのに「売れている」とか聞くとグラグラし出す。
  え、興味ないよ。ちょっと見るだけ。

- □ 道具やなんかにお金をかける。

- □ いいものをそろえたい。食費を切り詰めてでも。

- □ まずいものだって我慢して食べる。

- □ お腹いっぱいでも出されたら全部食う。苦しいのに。

- □ 何時間も正座できる。

- □ 古今和歌集を読んでいる。

□ 規律や秩序を重んじる。

□ 通える距離なら遠くからでも通う。1、2時間かけて。

□ **どーにもなんない時は、どーにもしない。**

□ 正式な「お辞儀」の角度を知っている。
「どうもありがとー」。そして45度。ぺっこり。

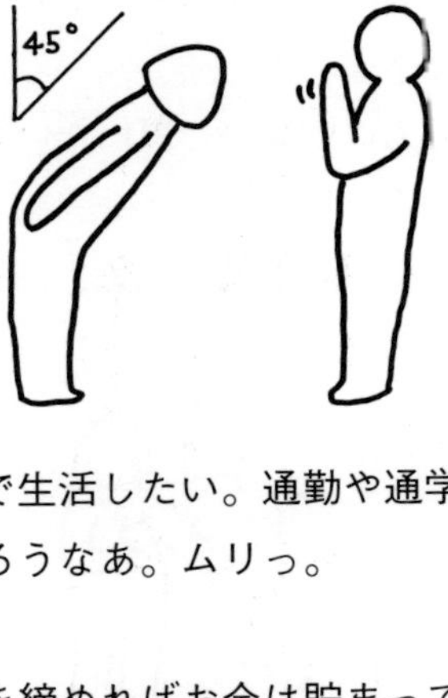

□ ほんとは和服で生活したい。通勤や通学も和服。
注目されるだろうなあ。ムリっ。

□ 締めるところを締めればお金は貯まっていくものだ。

□ でも今月赤字。
締めるとこすらナイ。上にマイナス。ガッデム！

□　決まったお店にいつも行く。

□　**突発的なアクシデントで思考停止。**

□　「こんなの予定になかったよ？」ってパニック。

□　断りたい時は、のらりくらりと言葉を濁す。

□　そういう態度が優柔不断と勘違いされる。

□　真心が通じない人はいないと思いたい気持ち。

□　**隣の畑が良くみえる。あ、あっちいいじゃん。**

□　「安くていっぱい」より「高くて長持ち」派。

□　人に笑われるのは耐えられない。

□　後ろ指さされたくない。

□　今どきラブレターを出したことがある。

□　自作の詩とか贈っちゃう。

□　その記憶は完全に封印。

□　八百屋で大根を買っても敬語。
「この大根を１本いただきたいのですが」

□　クレームつけるときも敬語。
「恐れ入ります。この大根、傷んでいるのですが」

□　にほんご講座の例文みたい。

□　人はあいさつから始まりです。やあ、ハジメマシテ。

□　そしてあいさつで終わる。サヨオナラ。ピュル〜。

□　あいさつって大事だよねって話でした。チャンチャン。

□　結婚するときはきちんと仲人立てたい。

□　多いほうにつく。

□　**人類最後の1人になったら気ままに生きられそう。**

□　しかも、何で1人になったのかとか考えない。

□　し、今後のスケジュールとか立てそう。仕事とか遊びとか。

□　そんで、自分でルール決めて守りそう。
第1条　みんなで仲良く。（いないデスヨ！　誰も）
第2条　ルールに従う。（自分の自分による自分のための）

□　噂話が好き。

□　でも自分が噂されるのはごめんだ。

□　空気を読むのは得意。

□　でも読みすぎて身動き取れなくなる。失敗。

□　自分を抑えるのが特技。

□ 着こなしは徹底的に研究。

□ さまになってない人を心の中で笑う。
プッ。何だあれ。ダッサ。

□ 自分の着方が間違っていることを知り、青くなる。

□ その服を捨てる。バサっ。

□ 整理整頓が得意。

□ だけど自分の部屋は散らかっててもいい。

□　お客さんが来る！　となったら、あわてて掃除。

□　掃除を始めたらとことん。

□　で、涼しい顔でお出迎え。
ええ、いつもこんなもんですヨ。みたく。

□　お金は計画的に使う。

□　無いときは我慢する。

□　受け入れますよ。現実を。ええ、無いもんは無いんです。

□　借金してまで遊ばない。

□　し、そうする人が信じらんない。
えぇ？　借りてまでしちゃうんだぁ。へぇぇぇぇぇぇ。ムリ。

□　実は、けっこう貯金している。
得意のコツコツで。

□　でも使うときはドカッと使う。

□　欲しいモノを即決で買ったりする。

□　でもその欲しいモノは最初から決まっている。
あとは選ぶだけ。店とか、色とか。

□　オタク、じゃない。マニアだよマニア。

□　いつも同じサイクルで動く。

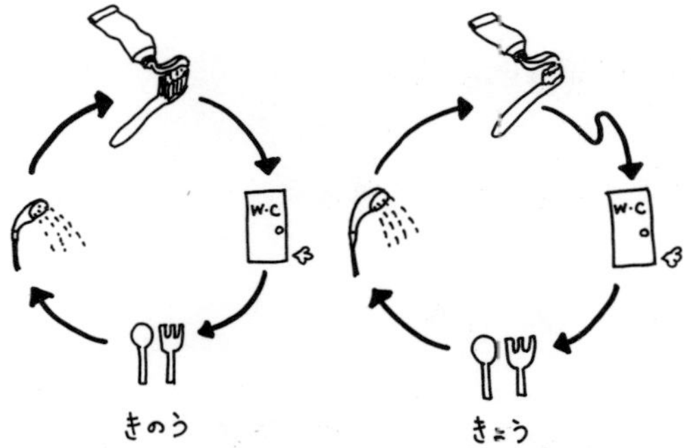

□　歯磨きの次がトイレ。

□　逆はありえない。

□　夕食の次に風呂。

□　順番が変わるとソワソワする。気持ち悪い。

□ オセロでは白を持ちたい。
後手必勝だから。

□ ロマンチスト。ルールー。

□ 花や鳥を愛する心。

□ 雨の音を聴くのが好き。

□ 秋風吹けば感傷的になる。

□ そしてふと人生について考える。

□ 夜はしんしん更けてゆく。

□ 今この瞬間、本来の自分に舞い戻る。

□ できることならいつまでも、この星空を見ていたい。

□ 実は密かに詩を書いている。

□ とても人には見せられない作品ばっかり。

□ 見られたら即死。

□ 自己啓発の本が好き。

□ **無言で存在感を出す練習をしている。密かに。**

□ そういう人物がいるとこっそり観察してマネる。

□ どっかの外国みやげみたいな
変なストラップとかキーホルダーをつける。
デザイン性とか全く無視。

□ 「つまらない」「可愛くない」「カッコ悪い」の中にキラリと光る面白さを見いだすから。

□ 陸上競技なら長距離派。走らないけど。

5　プログラム　仕事／勉強／恋愛

□　地味な作業に喜びを見出す。
このヒモを通すこの部分をこーして、こう。……イイ。イイじゃん。

□　図書館で寝ない。

□　何事も先を読みながら進めていく。

□　計画にしたがって進めていく。

□　ほんとに着実に進めていく。

□　小さなことからコツコツと。コツコツ。コツコツ。

□　コツコツしすぎてドカンする。
「あぁぁ、もうヤダー！　ヤなんだよー」ってなる。

□　でもすぐコツコツに戻る。

□　イメージは精密機械。
ガーガーガシャコン、ピー。ガーガー……。

□ 「肩の力を抜け」と言われる。

□ ていうか、そうそう。それよく言われる。

□ 構えるつもりないのに構えちゃう。

□ だってヨロイを着てないと傷だらけになっちゃうから。

□ なんだかんだ挫折しない。

□ 少しずつ目標に近づいていく醍醐味を知っている。

□ 「早いけど薄い」より「ジワジワとブ厚くする」。
そして重い。ずっしり。

□ 教科書をていねいに使う派。

□ 上司や先輩を立てる。いえいえいえ、めっそーもない。

□ 朝礼で話が長引いても不平をこぼさない。

□ んだけど、長いよ〜。
そして、割とどーでもいい話。おっといけねぇ。

☐ 資格の勉強に没頭。

☐ ガリガリ、ガリガリ、ガリ勉強。

☐ 取得しても役に立たない、と後で知る。

☐ まぁでも、悪くない気分だ。

☐ すでに次の資格を狙っている。

☐ こりない。

☐ 授業で当てられるのが怖い。

☐ だから先生と目が合わないように必死。
やっべ。今見られちゃったよ。
「じゃあ次は」「！！」

□　忙しいと奇声を発したくなる。

□　でもやらない。

□　部下は部下らしく、後輩は後輩らしく。

□　**試験勉強の予定表を作っていた。**

□　終わったところをつぶしていく。すごく快感。

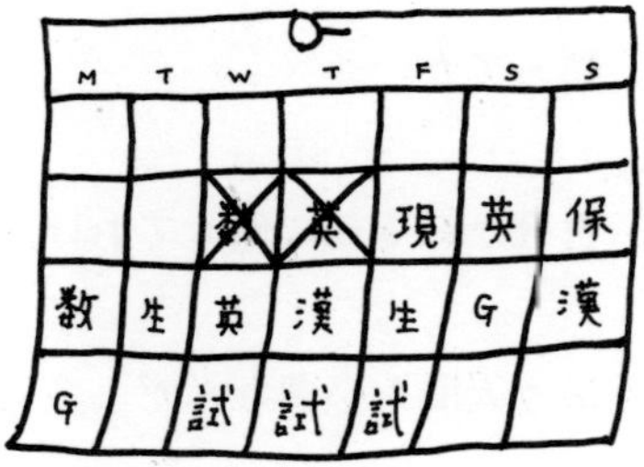

□　分類とか分析が得意。
ってゆーか好き。ってゆーかやらないと不安。

□　傾向を読み取るのも得意。

□　**しかしデータにだまされたことがある。
やられたぁぁぁぁ。チッ。**

☐ 未来は予測できる。

☐ 過去の傾向を分析すれば。見えます、見えます。

☐ えっ。みんなには見えてないの？

☐ やばい！　失敗する方向で話がまとまっていく！

☐ 言おうか言うまいか……。迷い。

☐ そして結局、黙ってた。

☐ まあいいや、自分がひそかに備えておけば。

☐ 組織にはこういう人間も必要なんだ。多様性。

☐ 緻密な作業にのめりこむ。

☐ 人に尽くす。誰かの役に立ちたい。

☐ 見返りがなくてもまあいい。（でもちょっとイヤ）

☐ 小さなミスを深刻に反省。ハアアアァァァァァァァァ〜。

□ サポートするのが好き。

□ だからリーダーシップは取りたくない。

□ 取れないし。
よーし、みんなを引っ張っていくよ★　とか絶対無理。

□ 無理だから推薦するのやめろ、そこっ！

□ 調整役か世話人なら、まぁ。

□ けどリーダーは無理なんだ、そこっー！

□ あと、司会もヤダ。

□ 裏方なら喜んでやります。でも目立つ役はちょっと。

□ 失敗を恐れてるんじゃなくて。目立つのが苦手なだけ。
裏方が向いてるんですよう。

□ とか言い張る。

□ でも失敗怖い。ヒィィィイイ。

□　自分ひとりで背負い込む。よいっしょ。

□　冒険？　しません。できないから。

□　**こっそり努力する。**

□　**スロースターター。**

□　**で、最後までスロー。**

□　「机きれいだね」ってよく言われる。

□　人が見てなくても真面目に働く。さぼらない。

□　何を隠そう、一番よく働いているのはこの自分。

□　「仕事中にふざけるな」「けじめが肝心」とかお母さんみたいなことを言う。

□ 自分がいなくなると業務が滞る。

□ 組織の一員という自覚が強い。

□ 勉強が終わらないと、遊びなど無い。絶対。

□ だから付き合い悪いと思われる。
つらいんだぁ。自分だって。ちょっとくらい待っててよ。

□ 大変な仕事は人に頼めない。大変だから。

□ ちっさい地味作業も頼めない。

□ でも自分はよくされる。

□ そして、ヤダって言えない。

□ **ノートを几帳面にとる。**

□ から、「貸して」ってコピーされる。されてた。

□ ほんとはイヤだ。

□　わかりやすく説明するのが得意。

□　その説明をくどいと言われる。
説明しないとできないだろうが！

□　報告ははしょらないで欲しい。

□　そもそもの背景まで知りたい。

□　**手帳がないとダメ。**
大きめサイズがベストだよ★

□　どのページもごっそり書き込み。
そしてキレイに書く。色別にする。

□　手を動かして覚える派。

□ なんたって勉強するのは夜中。この時間が一番はかどる。

□ 夜食の時間が決まっていた。

□ 勉強中は音を遮断。ひたすら集中。

□ 恋愛にも順序がある。

□ **好きな人をじっくり観察。**
自分の気持ちをたしかめる。あれ？　ほんとに好きだっけ？

□ そこにこだわって前に進めない。

□ で、チャンスを逃す。

□ 自分からなかなかアプローチしない。

□ 好きな相手のことは何でも知りたい。

□ でもそれを悟られたくない。
拒絶されたら傷ついて痛いから。痛！　って。心の奥がね。

5 プログラム

□ 片思い中、相手を美化する。

□ 上に、自分の理想だと思い込む。ステキだぁ。

□ けど、現実に幻滅。「あ、ちがった」

□ 気づけば「何もない」ことになっていた。
自分の心の中では大騒動だったのに。

□ 遊びの恋愛は、なんかヤダ。し、できない。

□ やったら失敗した。

□ 一目惚れしない。

□ いきなり告白されると引く。信用できねー。

□ 好きになると結婚を意識し出す。

□ 結婚は恋愛の発展形だと思う。

□ 弱さを見せられると支えてあげたい。

□ つき合い始めたら長い。とことんね！　中途半端はダメだから。

□ 浮気しない。

□ でも疑われたことがある。
してません！　って。

□ てゆかそーゆーコト言われるとマイナス10点。
何？　焼きもちですか？

□ 振られたら立ち直らない。何年も引きずってゆく。

□ 綿密なデート計画をする。

□ クセに行き先を決められない。

□ 自分の希望とか言わない。

□　**つき合いが深くなるとワガママになる。**

□　自分の好みを押しつける。そうやって甘える。

□　恋人の役に立ちたい。役に立つ自分でいたい。

□　相手にとって「重い」。

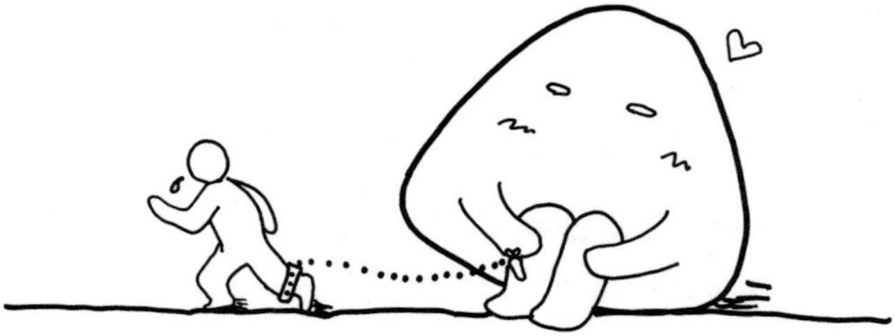

□　相手の家族に気に入られる。

□　別れたその後もトモダチ。

6　トラブル・故障した時は　自己崩壊

□　**キレると恐い。恐いことする。**

□　何年かに１回くらいの周期でやって来る。

□　ふだんは我慢強い。自分でも感心。すっげえ、自分。

□　でもちょいちょいブーたれる。ムッとする。

□　そんで、イラつくと黙る。

□　だって言えないよう。キツくあたれない。ダメダメ。

□　だから無言の主張。

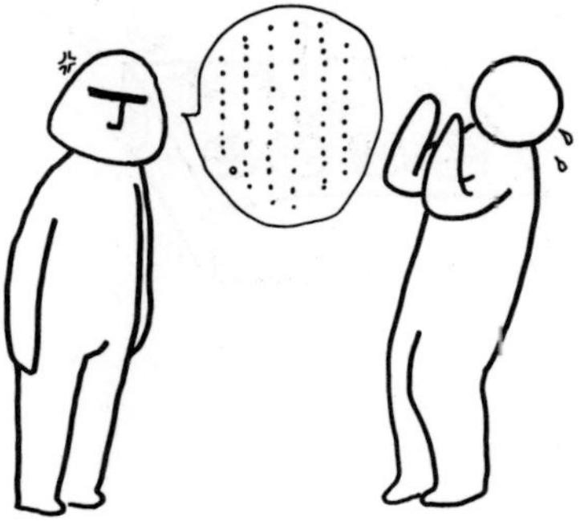

□ 怒っているのか、それを隠したいのか、微妙なライン。

□ でも、無言でいると発散できない。

□ 発散できないから長引く怒り、の悪循環。

□ 「言いたいコトは言えばいいじゃん！」
て、そんなこと分かってるよ。できないから困ってんだっ。

□ **喜怒哀楽をコントロールできる。**

□ **でもコントローラーには「抑制ボタン」しかない。**

□　感情的な人の前で冷静。

□　相手の感情バロメーターが上がるほど下がる。
「だから！　そうじゃなっ、が@ぷ#～2んb」「へぇ」

□　ほんとにキレると大爆発。ビッグバン。ドカーン。

□　からの彗星。尾を引きずる。

□　飲んでカラオケ行くと壊れる。
いつものイメージがだいなしになる。

7　メモリー・その他　記憶／日常

□　１人のとき理由もなく正座する。

□　**痛っ！　けど平然と耐える。**
「タンスの角に足の小指」の時も表情変えない。

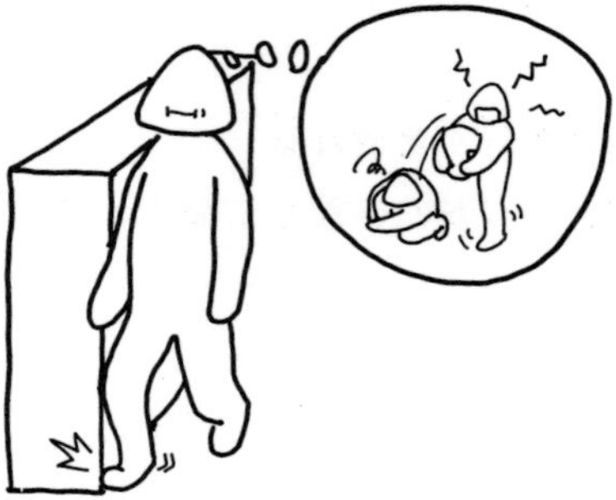

□　心の中では「痛っ！　イタタタああああああ！！　い・た・あひっひっひ」。
↑最後の「ひっひっひ」ってよく分かんないけど言う。

□　**アドリブに激弱。**

□　せめて落ち着いている風を装う。けどバレてる。

□　小さい頃からアイコンタクトの技を持っていた。

□ 昔の失敗は忘れない。怖くて。

□ たまにその記憶がありありとよみがえってくる。

□ 頭をもたげて「あああ……」と変な声を出す。

□ あの場にいたみんなの脳から、その部分だけ取り出したい。
でもたぶん覚えてる。あああ……。

□ のくり返し。

□ 満員電車の、ゆ〜らゆらガタン！　に逆らわない。
右へ左へ揺られるがまま。

□ セールスの電話がなかなか切れない。

□ 有無を言わさずガチャリとかできない。

□ セールストークを聞きながら、
「話は聞いてるよ。でも最後は絶対断るんですよ。だからそこまでしゃべったのが全部無駄になるよ」とか思っている。

□　**店のメニューと格闘。**

□　の末、「これいいじゃん」と言われたものまでリングに上がる。
選択肢広がり混乱する。

□　そういえば速読術を練習したこともあった。
パラパラパラパラ。パラパラパララララ。

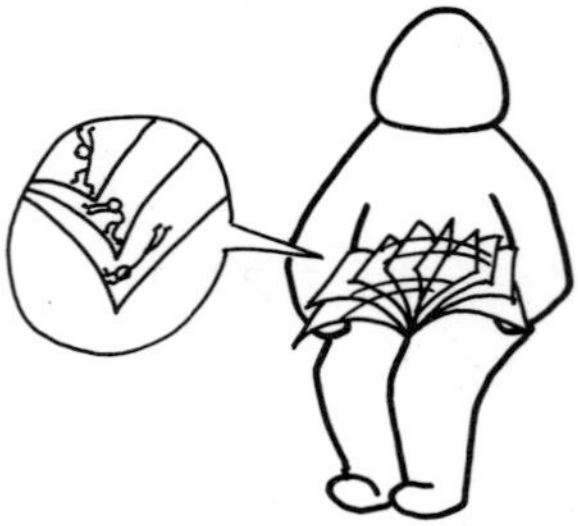

□　そうやって読めたのは、パラパラマンガだけだった。
でもほら、速読術だよ。ねぇ？　見かけは。

□　雨の日の道を歩いているとき、側溝を流れる水がゴミでせき止められてたら気になる。

□　その水が再び流れ出すと快感。あぁ、よかったね。流れたね。

□ 道でキャッチとか勧誘につかまる。

□ しかもよくある。

□ で、逃げられない。

□ ズルズル話が長引く。

□ 上に、いつのまにか話がその人の「聞いてくれ」的な方向に。

□ さんざん聞かされる。
はい、聞いてますよ。大変ですね。ではガンバって。

□ **タイルの升目の真ん中を歩く。**
線のとこ踏むと「何てことしたんだ、自分」と思う。

□ 子どもであろうと、敬語を使っていた。
そして、まんまと大人にほめられた。

□ 道を歩いている時、異様な人が通り過ぎると、いちいちリアクションする。

□ **アルバムの写真に一言書いてある。**
○月×日　△△に行った。

□ 電車の中で、ぶつかられても足踏まれても、仕返しできない。

□ 降りるとき「んー」ってちょっと押す程度。

□ 実は全然押せてなくて、かすってるだけ。
だからずっと、チクショウと思ってる。

□ Ａ型同士で集まると、気遣い大会が開催される。

□ **「チャックが全開だ」と後で知ったら憤死する。**

□ タオル、ハンカチは使うたびたたむ。
たたんでポッケにスっ。たたんでカバンにサっ。

□ 新商品を試し買いする。
イイもんだったら人にススメる。

□ 小包のテープはキレイに貼る。
端っことか真っ直ぐ切りたい。折り目に平行に貼りたい。

□　一人暮らしするとＴＶに話し掛けだす。

□　トイレ紙はビリビリのまま終われない。

□　あの床に着きそうなくらい出した誰かを、何だろうこの長さ、焦り過ぎだろっ、と思う。

8　その他シミュレーション　その時A型なら

□　童話『ヘンゼルとグレーテル』

親に森で置き去りにされました。２人がA型だったら。

→森のど真ん中で会議がはじまる。

　その件につきましては今後の方針を検討しましょう。

　とりあえず、親を捜すか、家に帰るか。これを考えていきましょうか。

　あ、まぁお茶でもどうぞ。

　あ、恐れ入ります。

□　童話『北風と太陽』

旅人のコートを脱がせるのはどっち？　どちらかがA型だったら。

→明らかなドロー狙いで、相手を逆なで。

　旅人もどっちつかずでイライラしだす。

□　童話『ハーメルンの笛吹き男』

ネズミ退治の報酬をくれなかった腹いせに、子供たちを隠します。彼がＡ型だったら。

→連れて来たはいいが、結局めんどうみるハメになる。

子供泣く→さわぐ→「ママどこぉ」→成長→からの巣立ち→そして感動の別れ（END）

□　童話『金のオノ、銀のオノ』

あなたの落としたオノは金のオノ？　銀のオノ？　普通のオノ？　木こりがＡ型だったら。

→「普通のオノ」

と答えたのでごほうび下さい。

□　童話『シンデレラ』

姉たちにこき使われる毎日。「髪をとかしてちょうだいシンデレラ」。シンデレラがＡ型だったら。

→「もお、しょうがないなぁ」の上から目線。
　でも仕事はていねい。ガンコなクセ毛も直します。

□　昔話『ウサギとカメ』

どちらが速いか競争しよう。ウサギがＡ型だったら。

→すっごい走ってそうで、スピードはカメ並みに調整。
　ゴールは同時。より気持ち早め。

□　童話『おおかみと七匹の子やぎ』

狼が訪ねて来た時、うっかり家の扉を開けちゃった。さぁ、どこかに隠れなきゃ。子やぎの１匹がＡ型だったら。

→無心で逃げる。風のように。それは誰よりも速く。頭まっしろ。分かんない。

□　童話『赤ずきん』

狼に食べられるも、助けてもらいハッピーエンド。彼女がＡ型だったら。

→不自然すぎる色々に「ありえねぇー」と思う。

　もし救出されたら、まずはお風呂。

□　昔話『桃太郎』

きびだんごで仲間をつり、共に戦います。彼がＡ型だったら。

→攻めと守りのバランスを考えながら仲間集め。

　そして特訓の日々。個人のデータを徹底分析。

　いつしか、インハイ常連校のマネージャー的存在に。

□　昔話『かぐや姫』

月からお迎えが来て、おじいさんおばあさんと泣く泣くお別れ。姫がＡ型だったら。

→「またすぐ戻るから」という安全パイ。そして帰る。
　その後、手紙出したり、電話したりする。最初だけ。

□　童話『白雪姫』

毒リンゴで死んでしまう。彼女がＡ型だったら。

→食べたふりする。そしていぶかしげな顔をする老女と、
　この後の展開を巡って、腹のさぐり合い。

□　昔話『つるの恩返し』

助けてくれたお礼をします。つるがＡ型だったら。

→「どうもありがとう」。そして、はたおり。で、疲れたのでいったん帰らせていただきます。

□　昔話『わらしべ長者』

物々交換をくり返し、わら１本からみかん→反物→馬→……。彼がＡ型だったら。

→こつこつランクアップさせていき、最後はめでたく、わら１本になりました。深い同情心から逆戻る。

□　童話『マッチ売りの少女』

雪の中で必死に声をかけるも、一向にマッチは売れません。彼女がＡ型だったら。

→「マッチはいかがですか？　マッチはいかが……効率悪すぎ。チッ」

――３年後、大手マッチメーカー勤務。社長の右腕。陰のドン。

□　童話『裸の王様』

子供が指さして笑い出しました。「あの王様、裸だ！　アハハハ」。周りの大人がＡ型だったら。

→「ちょっと君、こっち来なさい。王様は服をお召しだ。世間とはそういうものだよ。大人になれば分かる。いいね？」

「あ……ハイ」

□　童話『三匹の子豚』

自分の家を建てて暮らすことになった子豚の三兄弟。彼らがA型だったら。

→三匹で協力してレンガのアパートを建てる。
　大家になって入居者募集。全室埋まって暮らしも安定。
　103号室のオオカミは家賃滞納で立場逆転。勝った。

9　計算の仕方

A型度チェック

すべての項目チェック終了です。
まだ足りないよと思う方は、さらに自分を知ってみましょう。

これから、自分がどのくらいのA型度なのか調べてみましょう。でも、数えるのはめんどうなので、だいたいで良し。下から選んで下さい。

A　オールチェック。
B　ページあたり1、2コはチェックがつかない。
C　ページあたり4、5コはチェックがつかない。
D　ページのほとんどチェックがつかない。

〈結果〉
A　完全なるA型人間。スケジュールをロボットのようにこなす。それが至福。だけど予定外のことで大パニックになる。
B　A型っぽい几帳面さはお外だけ。家は散らかり放題。本当はめんどうくさがりでダラダラが大好き。
C　芯があり、意見もはっきり言える人。でも人を気遣うことを忘れない優しさを持っている。
D　A型気質のカケラも匂わせない、とんでもないじゃじゃ馬。こうなったら誰にも止められない。駆け抜けろ！

お疲れさまです。しかし、
実はまだ終わっていません。
今の結果は全部でたらめです。忘れて下さい。
その代わり、結果を見て何を思いましたか？
下から選んで下さい。

1　信じたくない！　絶対自分は違うし。けど、うまく説明できないんだけど。と思った。
2　そーゆー時もあるけど、違う時もあるなーと思った。
3　言われてみればそうかも。そんな気がしてきた。
4　なんだかよく分からない。考えるのもめんどーだ。

〈結果〉
1　それもＡ型。
2　それもまたＡ型。
3　そういうのもＡ型。
4　そういうとこもＡ型。

つまり、Ａ型度なんて知るか。です。
人間だもん。Ａ型だもん。色々あるもん。です。
自分が思うＡ型が「Ａ型」ってもんです。それでいいんです。
それがいいんだ。

さいごに

□　ほんとうの自分と出会えた。

□　Ａ型の自分が大好きだ。

□　人生の幕を閉じる瞬間、プラマイゼロになっていればいい！

「という人間です」

これがＡ型の全てではありません。
Ａ型だけに当てはまることでもありません。
Ａ型だからこうというわけでもありません。
人は十人十色ですから、アナタにはアナタの、
あの人にはあの人の、
それぞれが作り上げてきた「自分」があります。
それは、たった１人しかいない人間が、
たった１つしかないこれまでの時間の中で、
色んなピースを集めて組み立ててきた唯一のモノ。
だからこんな小さな世界に閉じ込めることは到底不可能です。
ただ、人のためにわがままを閉じ込めていたせいで、
今までは自分を知らなかったＡ型の、

Ａ型のことをちゃんと知りたい誰かの、
少しでもお手伝いができたなら。

さいごに、ご協力いただいたＡ型のみなさま、この本を手に取ってくださったみなさま、応援してくださったみなさま、担当の方に心からの感謝を。

Jamais Jamais

著者プロフィール

Jamais Jamais（じゃめ じゃめ）

ある年のある水曜日、東京都に生まれる。
大学の工学部をリタイア後、美大の造形学科でリスタートを切る。
現在は建築設計を生業としている。
周囲にはなぜか一風変わった、ユニークな人間が多数生息。
彼らが軒並みＢ型であったことから、血液型に興味を持つ。
著書に『Ｂ型自分の説明書』『AB型自分の説明書』『Ｏ型自分の説明書』（文芸社）がある。

A型自分の説明書

2008年４月20日　初版第１刷発行
2008年９月25日　初版第19刷発行

著　者　Jamais Jamais
発行者　瓜谷 綱延
発行所　株式会社文芸社
〒160-0022　東京都新宿区新宿１－10－１
電話　03-5369-3060（編集）
03-5369-2299（販売）

印刷所　株式会社平河工業社

ISBN978-4-286-05003-4